PRAY
ORIGIN
프레이 오리진

나이트런 프레이 오리진 ᅵ6

2022년 7월 14일 초판 1쇄 발행

원 작 김성민
편 집 이열치매, 최지혜
마케팅 이수빈
▬

펴낸이 원종우
펴낸곳 블루픽
주소 경기도 과천시 뒷골로 26, 2층
전화 02 6447 9000
팩스 02 6447 9009
메일 edit01@imageframe.kr
웹 http://www.bluepic.kr/
▬

ISBN 979-11-6769-148-4 07810
        979-11-6769-066-1 (세트)
정가 14,800원

PRAY
ORIGIN
프레이 오리진

6

CONTENTS

part 54

knight
Run

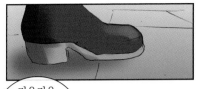

겨우겨우 오긴 왔는데 여기서부터가 문제군.

전력은?

예상대로 병력이 분산되어 있어 소수입니다.

물론 여전히 둘이서 나댈 만한 수준은 아니죠.

대형 크로스웜 타입 3기 중 2기는 처음 보는 신형이고 1001형 기본형 유닛이 다수입니다.

그 외에 테디베어와 600번대가 주변 폐허에 잠복 중입니다.

머리 좀 썼네. 나한테는 쥐약인 조합이야.

상위괴수는?

다행히 현재는 탐지되지 않습니다. 기본적으로 다 양산형 계열로, 역시 이쪽에 비하면 화력이 높아 힘들겠지만 귀찮은 게 오기 전에 정면 돌파를 추천합니다.

...아까 소수라고 하지 않았나? 할 수 있겠어?

다른 수가 있나요?

아니.

그렇다면야…

가뿐히
가보자고.

콰

직

건 클로젯
(gun closet)
오픈.

정리해.

2번 총기
대형괴수섬멸용
드레곤슬레이어
(Dragon Slayer)
set.

매거진
압축 해제.

기선제압
실시.

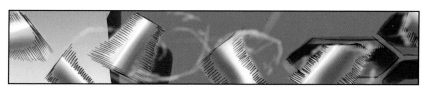

전탄
소비.

해머 원
set.

다용도무장
건 코핀
(gun coffin)
set.

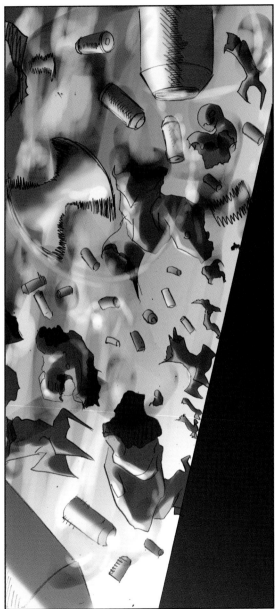

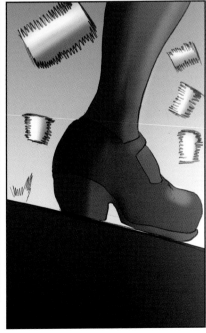

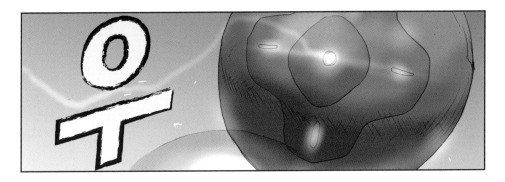

…저기…
뭔가 느낌이
쎄한데…

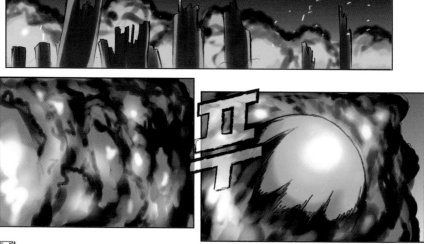

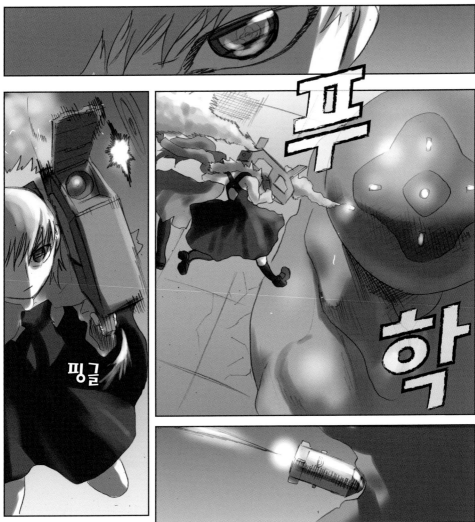

A-10
!!!!

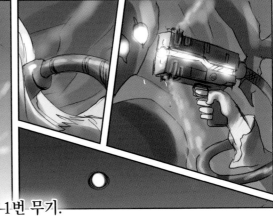

1번 무기.
단기결전용노심직결빔출력장치
短期決戰用置爐心直結beam出力裝置

빔 집속
모드.

TARGET LOCK ON

part 54. 고철과 개들의 서커스 「끝」

part 55

높은 곳이
서투른 걸 보면
인간미가 있어서
좋네요.

틱

...

?!

노심반응,
넷.

검은 녀석들!!

연계 공격이다!
등을 맞대고 서로
사각을 커버해!!

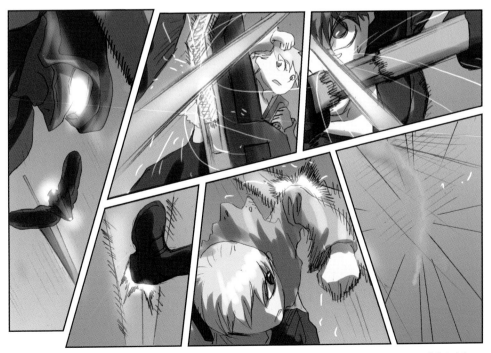

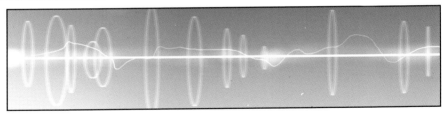

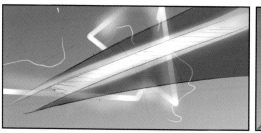
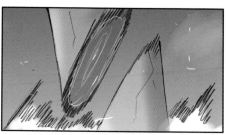

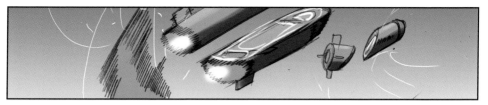

긴급상황에 의한 한시적 리미트 해제
장갑 타입 알파 전개.

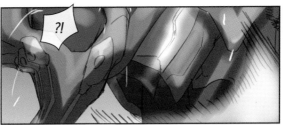

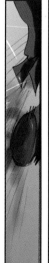

헬게이트
set.

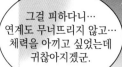

그걸 피하다니…
연계도 무너뜨리지 않고…
체력을 아끼고 싶었는데
귀찮아지겠군.

영식 클래스에
준하여
대응한다.

아직 갈길이 멀어.
계속 힘을 아끼면서
싸울 수 있겠어?

해보죠 뭐.

등은
맡긴다.

영광입니다.

?!

통신?

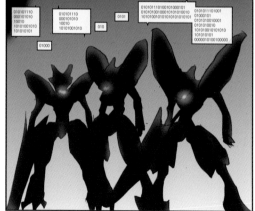

?!

뭐지?
물러나는 건가?
둥지 바로 앞에 있는
적을 발견한
상태에서?

상위괴수에게
저 정도 지휘권을
발휘할 수 있는
개체라면…

열원.

하늘이⋯⋯

열린다.

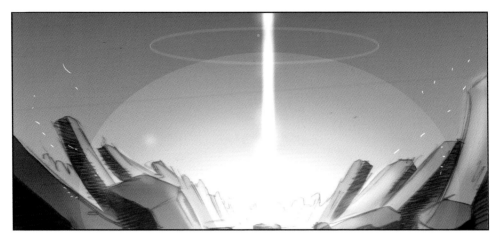

…우리 힘으로
상대할 수 있겠어?

안 돼도
해야죠.

이미…
도망치기에는
늦었습니다.

악마가…

우리를
짓이기러 친히
강림하셨으니까요.

part 55. 악마강림 |1|

part 56

…우리 힘으로
상대할 수 있겠어?

안 돼도
해야죠.

이미…
도망치기에는
늦었습니다.

악마가…

우리를
짓이기러 친히
강림하셨으니까요.

프레이 오리진 · 51

질...
날 지켜 준다고 했지.
믿는다.

코핀
시스템은?

강하 중
입니다.

A-10,
무슨 수를
써도 좋아.

리미터 해제와
모든 장비 모듈
사용을 허가한다.
저 녀석을 땅에
떨어뜨려 줘.

나에게
물러선다는
선택지는
없다.

미안하지만
나의 짐이
무거우니

같이 좀
들어다오.

기꺼이.

1차 리미터 해제.

대영식무장 장갑 타입 알파 고기동형 전환.

기동합니다.

본체가
가세하지
않았는데도
화력이…

?!

!!
강행 돌파
합니다.

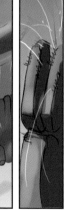

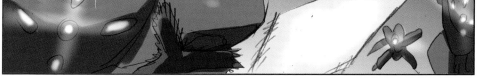

챠

ᄂ
ᄉ
ᄀ

웅

큐

앙

시간을 끌면
소체가 출력을
견디지 못해…
이걸로…

리미트 해제
노심 한정 사용
D-3 캐논 구성

킹

펑

처음부터…

이쪽은
보고 있지도
않았군.

감정이 없는
타 괴수와는 다른
생생한 살의.

…나를
죽이고 싶어?

나도
마찬가지야.

뭐가 문제지
괴수?

한눈은
그만 파는 게
좋을 거야.

네 앞에 있는 건
내가 기사단을
없애려고 만든
괴물이니까.

아이올로스
온라인.

쿠 우 우

퍼 버 버 버

대함도
對艦刀
M-304

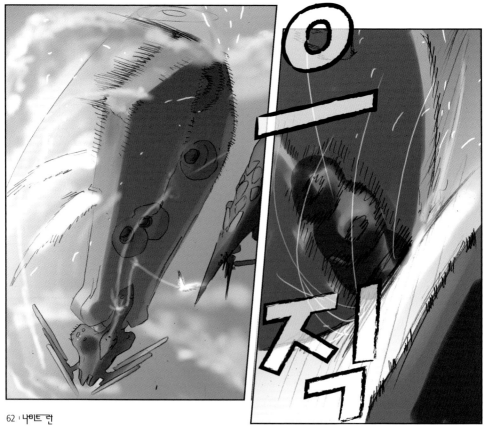

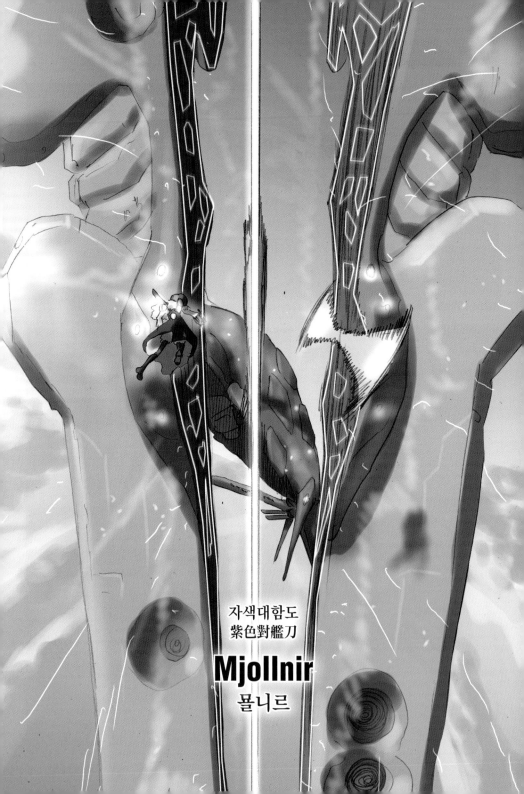

자색대함도
紫色對艦刀

Mjollnir
묠니르

대영식전
무기 모두…

…
효과 없음.

알파장갑의
대영식용
노심 병기 모듈
전 2기 소멸.

장갑 유지 불능.
디펜시브소자 소진.
노심 가능 출력 10%.
실드 약화.

그리고…

적
접근 중.

하지만.

기가 막힌
타이밍의
지원 병기.

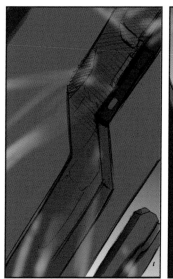

노심 코드 '크로스아이'

완전 개방 시스템
트웰브코핀(Twelve Coffin)

출력 100%.

최종무장

Heaven's Door

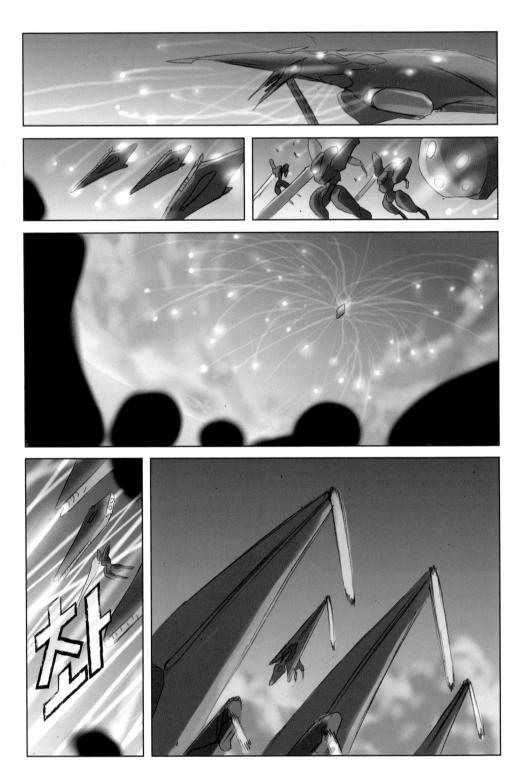

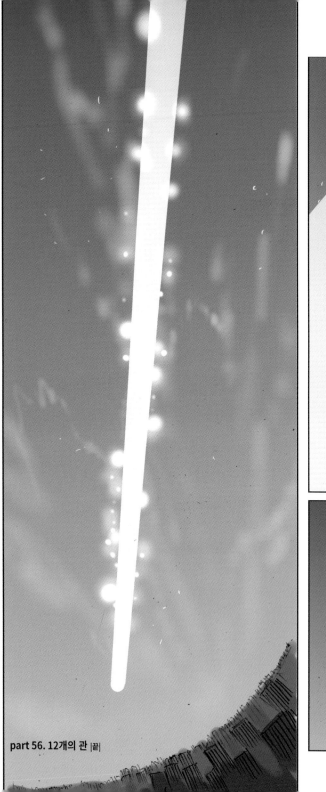

part 56. 12개의 관 |끝|

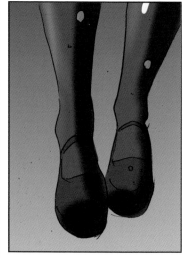

part 57

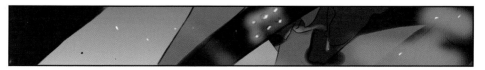

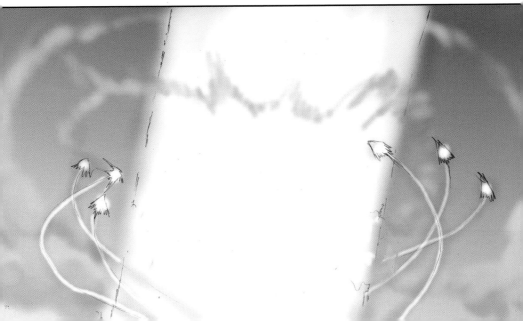

큭…

4번 기
중파.

6, 7번 경파.
복구 후 합류.

출력이
비교가
안돼…

…적 공격
제 2파.

S모드
적 공격 경로
탐색.

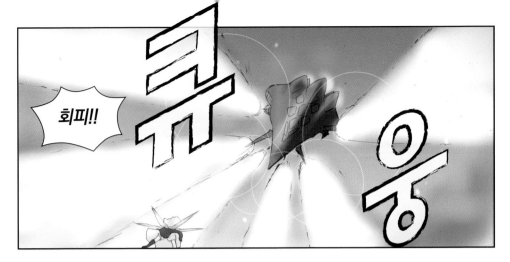

회피!!

포메이션
에코.

포위 공격.

이러면 방패는 쓸 수 없어.

공격 개시.

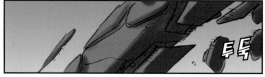

투 둑

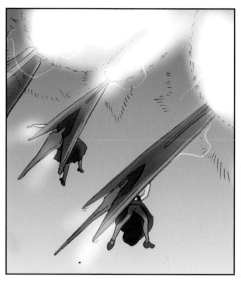

?!

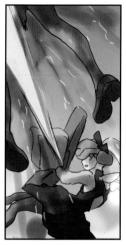

뒤?

!!!!!!!!
센서가 못 쫓아갈
정도의 스피드…

청색
青色

글라디에이터
Gladiator

그렇군…
포격은 옵션일 뿐
원래부터 근접전용
영식.

이게 적의
주무장인 건가…

노심 전부를
기동성에…

8, 2, 1
포격.

이것이
블루비틀
본래의…

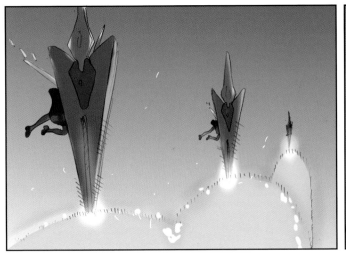

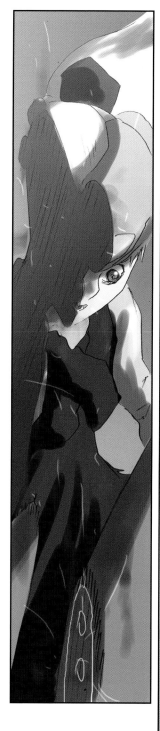

일반 영식이라면
충분히 상대하고도
남았을 사양인데…
무시무시하군.

하지만…

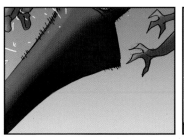

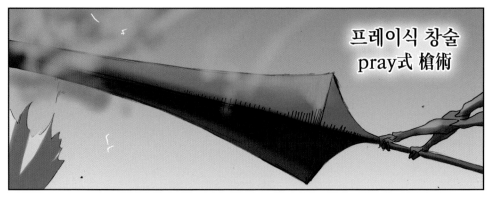

프레이식 창술
pray式 槍術

삼도 지르기
三屠

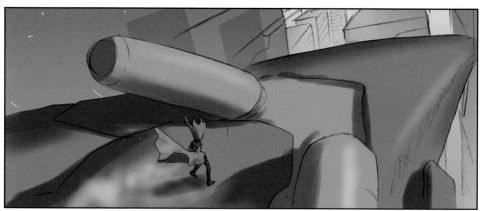

프레이식(式)
발검(發劍)

충분해.

현월 적
弦月 赤

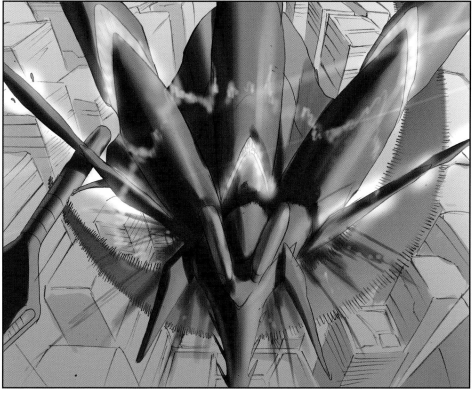

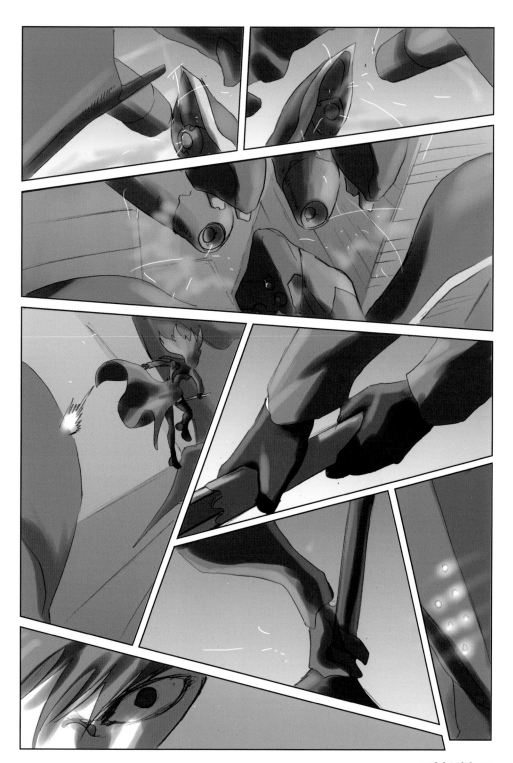

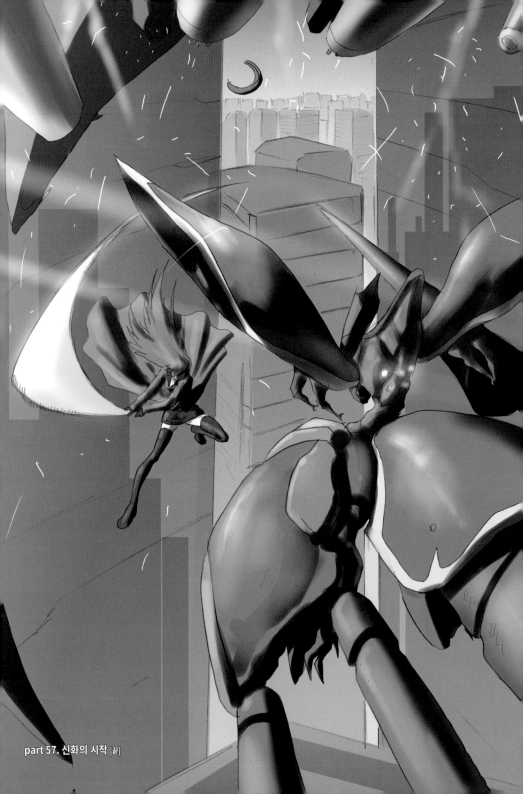

part 57. 신화의 시작 [끝]

part 58

현월 적
弦月 赤

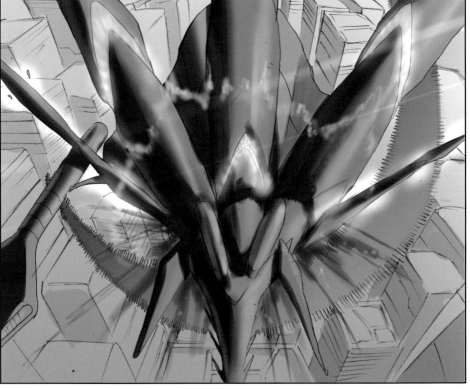

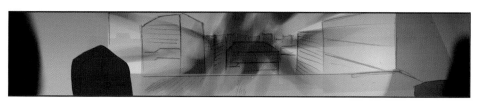

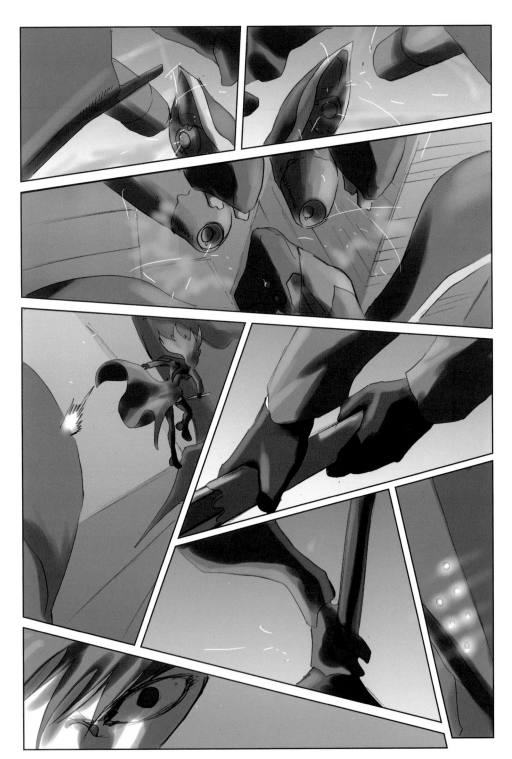

육체의 한계를 넘어서기 위해
몸의 파열을 감수하고 신경을 조절해
적파를 활성화한다.

쿠

철컥

철컥

내가 쓰는 건
프레이식보다는
마이어식에
가까워.

형식 없이
사방팔방 날뛰는
공중 살법 위주의
프레이식은 몸에
부담이 가서
말이지…

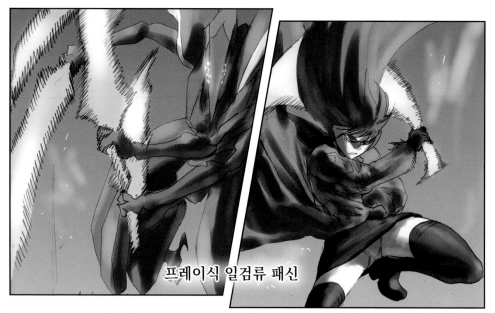

프레이식 일검류 패신

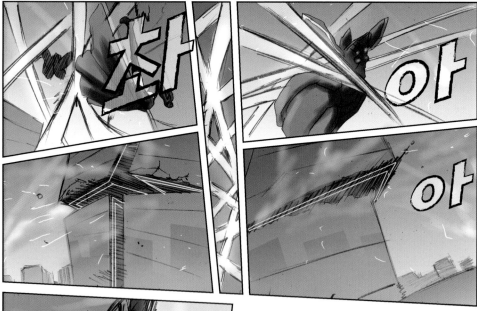

팔괘기공
八卦氣攻

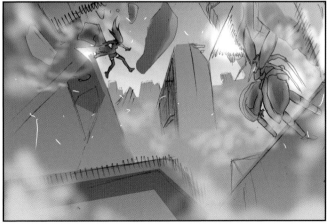

검압만으로…
대기가 떨린다.

이것이
탑소드급인
트리플 A 클래스
기사의 전투…

쿠직

쿠

뼈가 삐걱거리고

근육이 파열된다.

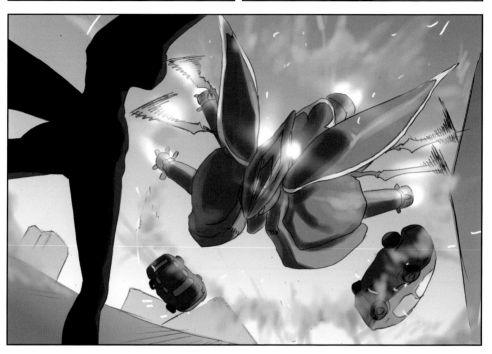

여기서 승부를 건다.

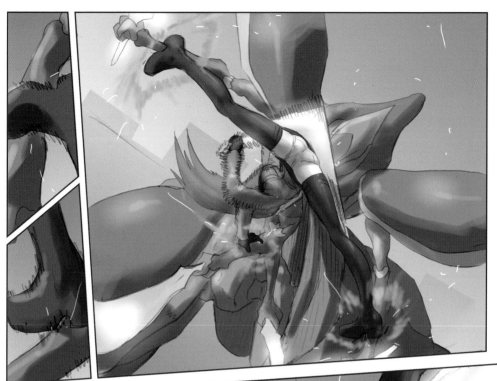

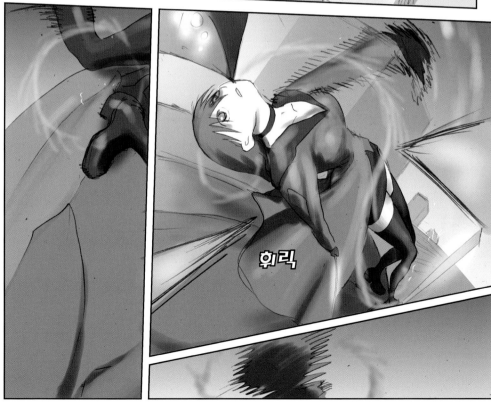

휘릭

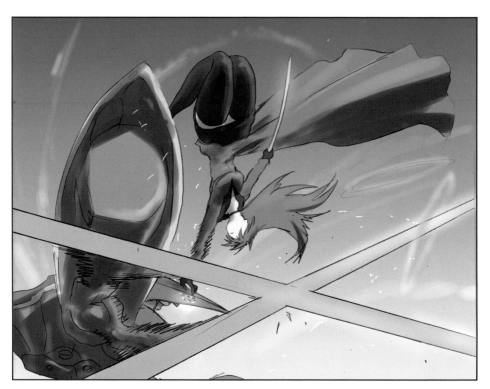

프레이식
현월玄月
적赤

프레이식
현월玄月
자紫

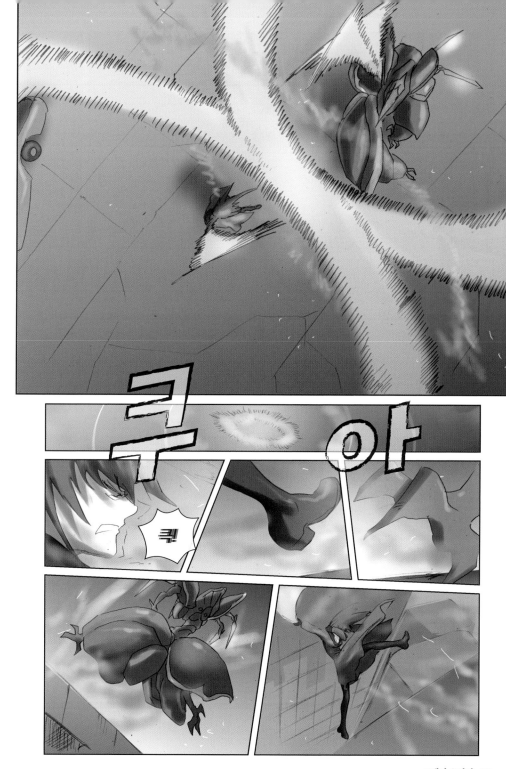

육합 가르기

part 58. 소드댄싱 |끝|

part 59

한계…

숨통을 끊어야만 해.

여기 올 수 있게 목숨을 바쳐준 사람들과

네가 죽인
사람들을
위해서라도.

그래 그런 거야.
죽였으면…

죽어야지.

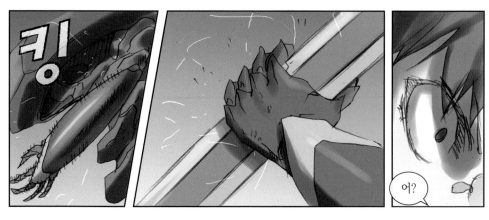

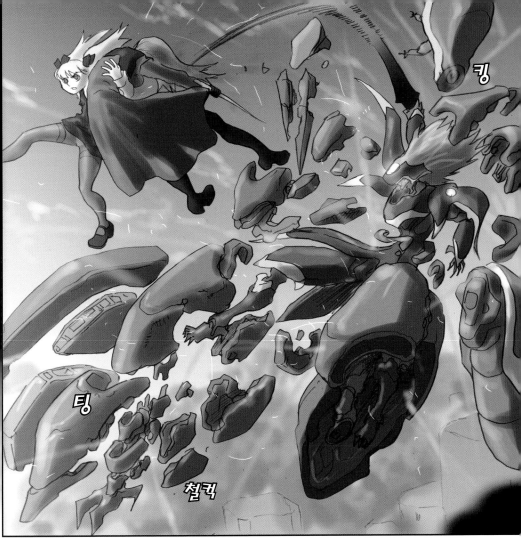

킹

팅

철컥

타

탁

텅

탁

틱

쿠

치익

터

텅

괜찮으세요 마스터?

그래.

덕분에 살았어.

잘도 벗어대는군. 확실히 육중한 모습은 대인전에 불리하지…

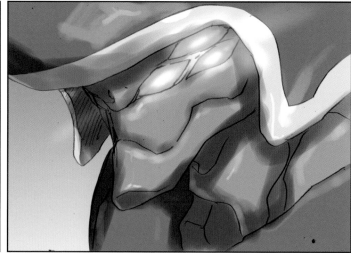

?!

온다!!!

꾸욱

접근할 수 있는
단 한 번의
기회입니다!!!

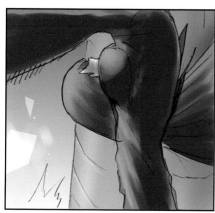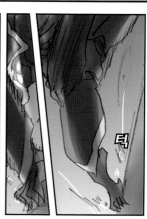

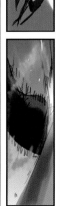

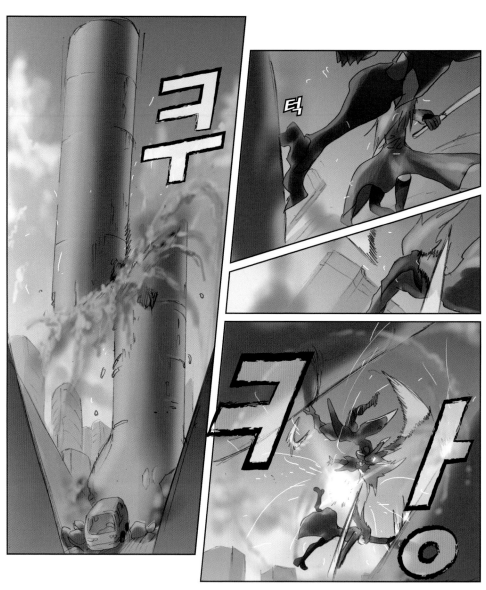

?!

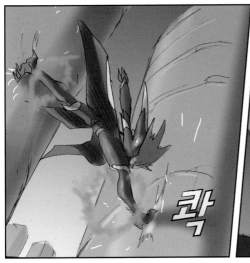

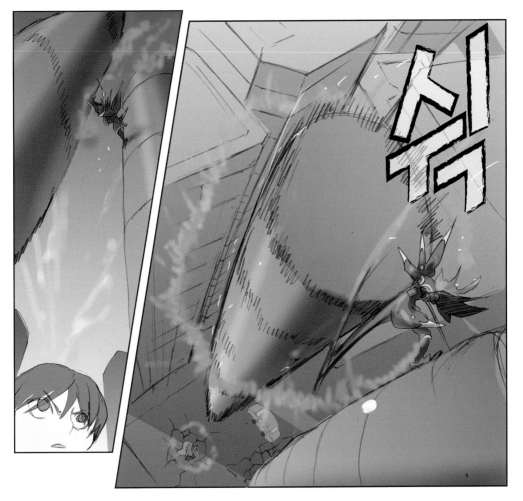

내가 나 같은
상대를 만났더라도

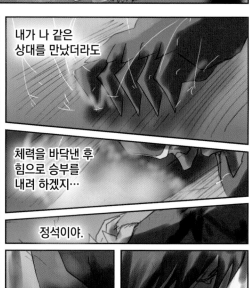

체력을 바닥낸 후
힘으로 승부를
내려 하겠지…

정석이야.

흥.

알고 있어.

자색수정검
紫色水晶劍

FULL CHARGE
MAXIMUM THRUST

아무도
지키지 못했어.

결국 모두가
날 지켜 준 거야.

내가 할 수
있는 건…

복수로
그들에게 조의를
표하는 것뿐이야…

part 59. Art of Fighting |끝|

part 60

전뇌 이식 완료.
노심 이식 성공.

칙

기체의 내구도 및
필드 형성 능력 차이로
노심 출력 하향 조정,
12코핀 노심 공유 불가.

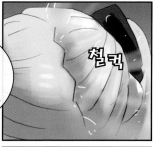

철컥

작업 완료.

우

웅

4번 기를
메인 돌로 인식,
재작동.

속

5번 사일로도 작동한다. 몽땅 쏴 버려.

다른 지역 함대가 기사님의 움직임을 눈치챈 이상 그쪽으로 가게 놔둘 수는 없다.

우리도 지금 발사로 위치가 노출됐을 테니 서둘러 이동하도록.

그 인형이 아무리 대단하다고 해도 영식까지 있다면 기사님을 지키면서 함대를 상대하기는 무리야.

우리의 방식으로 기사님을 목숨 걸고 지키는 거다.

기사님은… 무사히 도착 하셨을까요?

그래… 그럴 거야 분명.

기사님 작전에 걸림돌이 되기 싫다면 구조 작업 서둘러!!

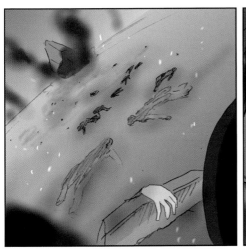

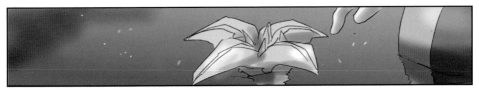

아무도
지키지 못했어.

네가 쓰러지다니 참 별일이다 싶었어.
보건의 말로는 단순히 피로가 쌓인 거래.

도대체 뭐하느라 그렇게까지
연습에 힘쓰는 거야 요즘?

선물하려고.

널 위한
검술.

앤을
지켜 줄
이검류.

앤에게 맞는
공방일체의
프레이식.

앤은 죽으면
안 되니까…

앤이 누구에게도
지지 않게 해 줄…

내 선물이야.

그 누구보다 강해져야 해 앤.

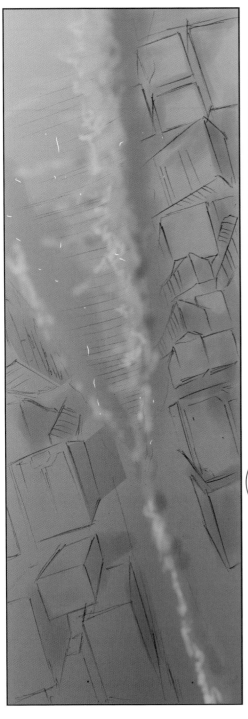

결국 모두가
날 지켜 준 거야.

내가 할 수
있는 건…

복수로
그들에게 조의를
표하는 것뿐이야…

하지만…

그들을 지킬 수 있는 힘을 내게 준 건…

휘청

괜찮으세요?

별로 괜찮지는 않아.

영식 때문에 기습의 의미가 없어졌어요.

서둘러야 해요. 적들이 곧 몰려올 테니까요.

관측기의 정보에 의하면 다수의 함이 여기로 오고 있어요.

일부는 사일로를 사용해 막고 있지만 오래는 못 버텨요.

함대가 올 경우 마스터 돌입까지 버틸 비장의 수였던 12코핀도 전투력을 잃었고…

아이올로스도 작동 불능.

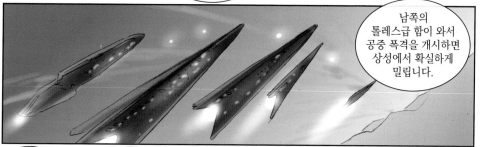

남쪽의 톨레스급 함이 와서 공중 폭격을 개시하면 상성에서 확실하게 밀립니다.

우주 쪽은?

정보 분석 중.

마난급, 카난급 등 주력함이 우주 쪽으로 서둘러 올라갔다고 합니다.

그리고 전투 광원의 패턴 분석 결과 AE원군이 온 것으로 판단됩니다.

드라이인가. 결국 모두 말려들고 말았어. 내가…

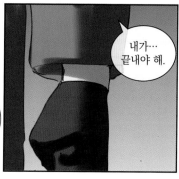

내가… 끝내야 해.

PPP에서 제공한
최신 노심기.
우리의 히든카드다.

흰 놈은
상대해 봤자 손해야.
최대한 마주치지 않도록
선회하며 푸른꽃의
방어를 뚫는다.

그러면 놈도
푸른꽃 방어에
전념할 거야.

버틸 수 있다면
다행이고 나머지는
아래쪽의 망할 녀석을
믿을 수밖에…

대영식병기 소와트와 신형 노심기와 디랜서는 77형 정도 괴수에겐 확실히 통합니다.

두 기종은 우주에서 상위괴수를 상대할 수 있는 귀중한 소수 병력이니 피해를 최소화하도록!

어떻게 해서든 끝까지 기사를 호위해 푸른꽃에 상륙시킨다!

선발 기사단 푸른꽃 진입 성공!

기사들 디펜시브 코트는 우주용이 아니니 지속적인 소자, 산소, 에너지 공급에 만전을 기할 것!

우리 푸른창 부대가 후위를 맡은 건 부대 역사상 처음이다.

뒤에서 찔리고 싶지 않으면 이 이유를 실력으로 증명해야 할 거다 드라이.

저것이 기사단의 검술과 창술을 사용한다는 영식급 상위괴수 부대.

그리고 영웅들과 기대주들.

헤드 파츠의 디펜시브 코팅은 이중으로 설정.

생명유지 및 우주선 차단용 지파이 전개.

그럼…

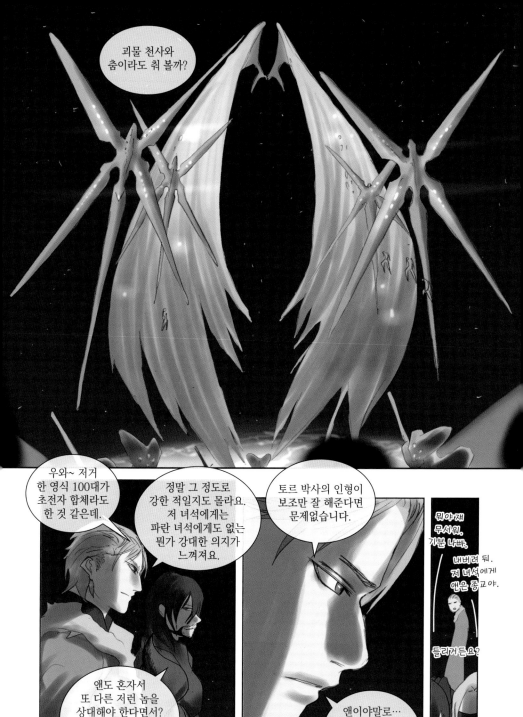

과연 어떻게 보면 기사보다 낫군 저 노심기. PPP는 또 뭐 하는 데야?

수고했어. 이제 너희도 주인한테 돌아가.

화려한 파티를 위해 숨겨둔 마지막 한 방…

이 행성의 대기는 못 쓰게 되겠지만 마이어 씨를 놈들에게 넘길 순 없지.

아가씨가… 지켜달라고 한 사람이니까.

이걸로… 된 걸까요 아가씨… 아가씨는 지키지 못했지만 아가씨가 지키려 했던 긍지만은 지켰기를…

그녀가 아가씨와 모든 사람의 바람처럼 인류를 구할 수 있기를…

쿨럭… 결말 정도는… 보고 싶었는데.

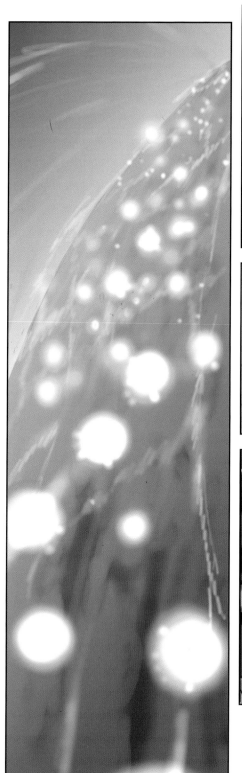

행운을…
기사님.

저기 봐요
아주머니.

부디 살아남아 당신을 좋아했던 우리 딸의 기대에 부응해 주세요.

행운을… 빌게요.

제임스, 화끈한 불꽃놀이야.

같이 살아서 봤으면 좋았을 텐데.

제발 이놈의 전쟁 좀 끝내 주쇼 기사님.

그럼, 부탁합니다.

한동안
색적이 불가능할 테니
시간은 충분히 벌 수
있을 것 같습니다.

홀로 고된 싸움을 해왔다고 생각했었다.
완전한 착각이었다.
모두의 희생이 없었다면
난 여기까지 올 수도 없었을 것이다.

모두의 무게가 검에
무겁게 내려앉는다.

알고 있다.

나의 독단이
이런 참상을
빚은 거야.

단 한 사람에게
희망을 품고
모두가 목숨을 거는
치졸한 영웅극을
만든 건…

내 책임이다.

난 지금 세상의 끝에 서 있다.
이건 비유가 아니라
내가 이기지 못하면
정말로 세상은 끝나 버린다.
마치… 동화 속 영웅 이야기처럼.

싸움에서 진 이후는
아예 상상조차 할 수 없는
참 단순하고 융통성 없는 이야기 속의
주인공이 되어 버렸다.

결국 내가 벌인 이야기의
끝을 내는 건 나다.

가자.

A-10.

그게 또
그럴 수만도
없어요.

우릴 보낼 생각이
없나 봐요.

맡기고 가세요.
여기서 붙었다간
적의 함대에
잡힙니다.

하지만…

마스터가
타인의 목숨을
먼저 생각하는 점은
좋아하지만…
아시잖아요.

…그래.

그 대신…

머리 한 번만
쓰다듬어
주세요.

…

…그래.

마스터의 손,
따뜻해서
정말 좋아요.

이 따뜻함
기억할게요.

장갑 모드 베타.

그럼.

무운을 빕니다.

고맙다는 말밖에
해 줄 게 없구나.

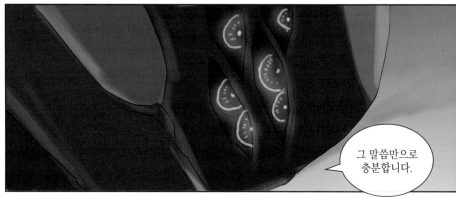

그 말씀만으로
충분합니다.

적을 분쇄합니다.

part 60. 세상의 끝에서 |끝|

part 61

아직 사람이 살고 있어
반물질 폭탄을 사용한
철거는 포기하고 감시 임무만
수행 중 활동을 포착했습니다.
더 이상 보병만으로 대응은
무리입니다.

곧 도착입니다
단장님.

그렇군.

고맙기도 하셔라.
이런 누추한 곳까지
와 주시고.

아직도
움직임이 있다는
지긋지긋한 엘리스의
파편 처리를
하러 왔지.

네 자원봉사의
물자 지원은
그저 덤이야.
마일로.

아이고 네네
황송합니다.
본체로 오시다니
영광이네요.

응…
쓰…쓰다듬지 마
부끄러워…

오랜만에…
만나는 거니까…

실제 감촉을
느끼고 싶었어.

자, 이 거지 같은
동네나 안내해 줘
마일로.

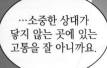

…소중한 상대가
닿지 않는 곳에 있는
고통을 잘 아니까요.

그게 아프다는 걸
아니까 이렇게라도
확인하고 싶은 거예요.

소중한 것일수록
떨어졌을 때
더 아픈 법이에요.

정말로
소중한 건…

이렇게
두 손으로
꼭 잡고 있어야
한답니다.

그런…
…거야?

사람을 만지기 싫다면
당신도 제 인형을
만드는 게 어때요?
제가 만드는 법을…

흠.

자 만들었어.
너하고 똑같다.

…잠깐, 3초박에
안 걸렸거든요?
뭘로 만들었…

종이컵.
아 똑같다니까
자 코딱지
여기 붙여줄게.
이제 누가 넌지
구분이 안 간다.

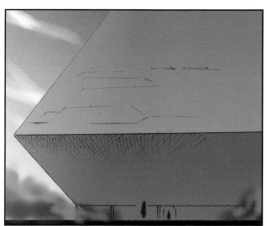

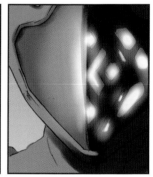

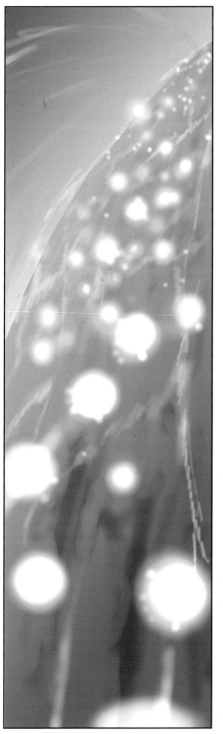

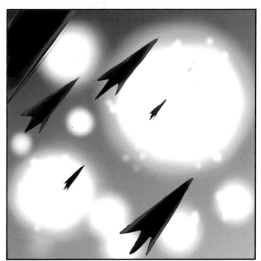

행운을...
기사님.

저기 봐요
아주머니.

부디 살아남아 당신을 좋아했던 우리 딸의 기대에 부응해 주세요.

행운을… 빌게요.

제임스, 화끈한 불꽃놀이야.

같이 살아서 봤으면 좋았을 텐데.

제발 이놈의 전쟁 좀 끝내 주쇼 기사님.

그럼, 부탁합니다.

그럼
내일 또…

…

응.

내일…

…

소중하다…

이게…
그건가…

조금…
알 것 같아.

인형 만드는 법…
가르쳐 달라고
해야지.

이렇게
같이 두면

언제나
함께 있는 기분이
들잖아요.

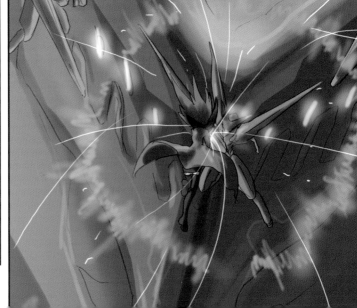

난 그녀를 떠났다.

그래야 그녀가 나를 향한 집착을 버리고
비로소 성장할 수 있을 거라고
믿었기 때문이었다.

그러나 과연 그게 다였을까?
단지 내가 그녀의 뒤치다꺼리에
너무 지쳐있었기 때문은 아닐까?

그녀를 끝까지
보살핀다는
책임으로부터…

도망…친 건 아닐까?

그 손만 뿌리치지 않았어도…

아무리 후회해도
너무 늦었다.

그녀는 울고 있었다.

마치 부모를 잃은 아이처럼
울고 있었다.

…앤이 온다.

헤헤…
예쁘게 보여야 해.

앤은 언제나
너무 아무렇게나
하고 다닌다고
꾸중하니까…

칭찬…
받을 수 있을까?

그래.
난 울고
있었다.

그녀는 소중했으니까.

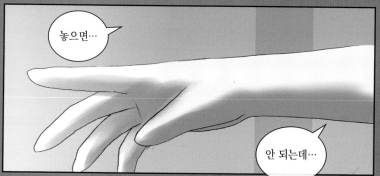

놓으면…

안 되는데…

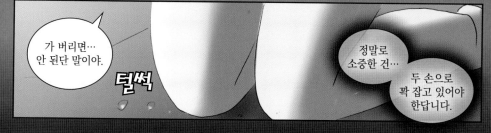

가 버리면…
안 된단 말이야.

털썩

정말로
소중한 건…

두 손으로
꽉 잡고 있어야
한답니다.

그럼
내일 또…

그녀에게 내일은 오지 않았다.

소중한 건 끝까지 잡고 있어야 해요.

필사적이지 않다면 지킬 수 없어요.

세상은 너무나 소중한 걸 너무나 쉽게 빼앗으니까.

피온…?

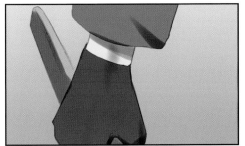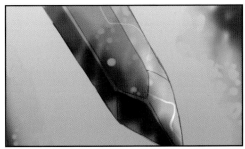

나를 지켜줬던 사람도
내가 지켜야 하는 사람도
모두 소중하다.

다만 지금 내가 생각하는 건
생명의 숫자.

내가 살릴 수 있는 생명의 숫자가
가치 판단의 기준이다.

다만… 과연 그것이 옳은가?

이 문을 여는 것은

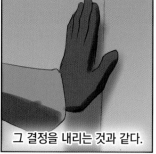

그 결정을 내리는 것과 같다.

결코 돌이킬 수 없는 결정을.

자 됐다!!
이제 안 떨어져!!

고대의 장님
흑마법사한테 배운
언제나 같이 있게 되는
저주 아이템이야.

···안 사요.

윽, 뭐야
이건?

응 배웠어.
네가 태어날
때쯤에.

인형이라니…
바느질도
할 수 있었어?

요즘은
작전 때문에
떨어지는 일이
많으니까.

떨어져 있으면
널 지켜줄 수
없으니까…

너무 불안하니까.

뭐…
옛날부터
넌 찰싹 붙어서
떨어지지
않았지…

응.
그리고
앞으로도
그럴 거야.

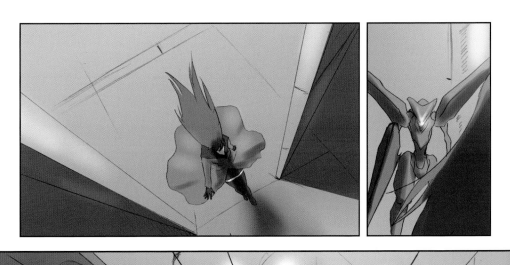

듀얼, 맥케인의 검이군.

흑요검은 하인드였나…

사일러의 검… 이 녀석도 여기서 죽었군.

파안나.

돌로레스.

진스.

쟝.

파이.

웨인하이츠.

그리고…

이런.

그렇게
소란을 피우더니
이제 오는 거야?

인간으로
'의태'해
별을 침식한

최초의 인간형
여왕괴수.

그렇게,
나는 단 하나의 선택지를 들고
그녀 앞에 섰다.

part 62

역시 수여실이었군. 방어시설로는 별로인데 굳이 여길 택하다니… 그 의자는 또 뭔데?

어제 박살 낸 단장 의자.

쫄따구들까지 세워놓고…

여왕이라도 된 기분이야?

된 기분이 아니지.

잘난 괴수의 여왕님 맞으니까.

산란 때문에 하루 1시간 빼고는 계속 앉아있어야 하니 구색이라도 좀 갖춰서 여왕 놀이나 해야지.

꽤 인간적인 생각이네.

사실 구분이 애매해. 나도 얼마 전까진 내가 인간인 줄 알았으니까.

네가 생각하는
급격한 변화는
없어.

가령

내가 널 생각하는
마음이라거나.

…

난 경계에
서 있어.

난 아직도
확정되지
않았어.

본능적으로
사람을 죽여야 하는
괴수.

그저 경험상
인간을 싫어할 뿐인
인간.

하지만
동시에
어디에나
있지.

나의 근본을
자각하니
그 성향을
억제할 필요가
없어졌을 뿐.

그 두 가지
가능성을
모두 품고 있는
독약 상자의
고양이지.

프레이 오리진 | 217

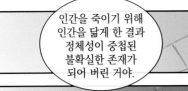
인간을 죽이기 위해
인간을 닮게 한 결과
정체성이 중첩된
불확실한 존재가
되어 버린 거야.

난 어느 쪽도
될 수 있어.
너에게 난
어느 쪽이지?

수천만을 죽인
학살자지.

정체성 타령은
집어치워.

…

그래.

앤은 본성이
어떠니 하면서
누군가를 쉽게
평가하지 않지.
그래서 좋아해.

'생각이야 어떻든
그 존재의 행위와 선택이
그 존재를 결정한다.'
고 말하곤 했지…

죽였으니
죽임당하는
거라고.

오는데 꽤 오래 걸렸네?

오기 편하게는 해 줬고?

일선에서 물러난 지가 언젠데 갖은 고생은 다 시키고.

헤헤… 미안.

으윽.

쭈욱

막내에게 내버려 두라고 했는데도 내 말을 안 듣지 뭐야.

내가 인간형이라 그런지 자식도 자의식이 너무 강해.

그리고 나도 너무 바빴거든.

자릴 뜰 수도 없고 우주 쪽에 신경을 쓰다 보니 그만…

이해해 줘.

철

퍽

그래.
바빴겠지.

인간을
죽이느라
말이지.

내게 죄의식이라도
기대하는 거야?
나에게 살인은 강박적인
의무 같은 거야.

이제 너 이외의
인간은 나에게
아무 의미가 없어.

아니
오래전부터
그랬지.

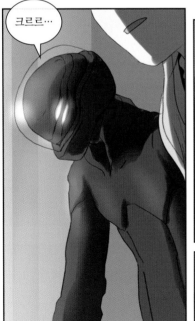

크르르…

가만있어
큐피.

큐피?

엄마 친구니까
얌전히 있으렴.

끼이잉.

인간으로의 의태는 어디까지나 침식을 위한 위장이라 침식이 끝난 지금은 사실 이 모습도 인격도 의미가 없어.

그럼에도 난 내 의지로 지금의 나를 힘겹게 유지하고 있지.

왜냐하면 그 무엇보다…

보고 싶은 사람이 다시 찾아오지 않을까 하는 기대를 버릴 수 없었기 때문이야.

…

…프레이… 난…

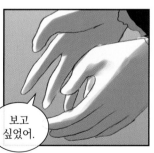

보고 싶었어.

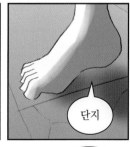

단지

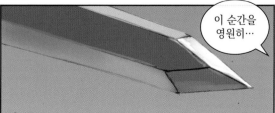

이 순간을 영원히…

딱히…

감격의 재회를
하러 온 건 아니야.

…

그래?

…그럼…

…날 토막내는 거야?

?!!

팔다리를
베고

심장을
도려내고…

목을
자르는
거야?

…

난…

보고 싶었어…

앤…
정말 너무 너무
네가 보고 싶었어.

부비적

프레이…

이거 나… 좋아해…

앤.

네가… 정말 좋아.

앤의 품…

따뜻해.

깡

누군가의 온기 같은 거…

이제 다시는 느껴 보지 못할 줄 알았어.

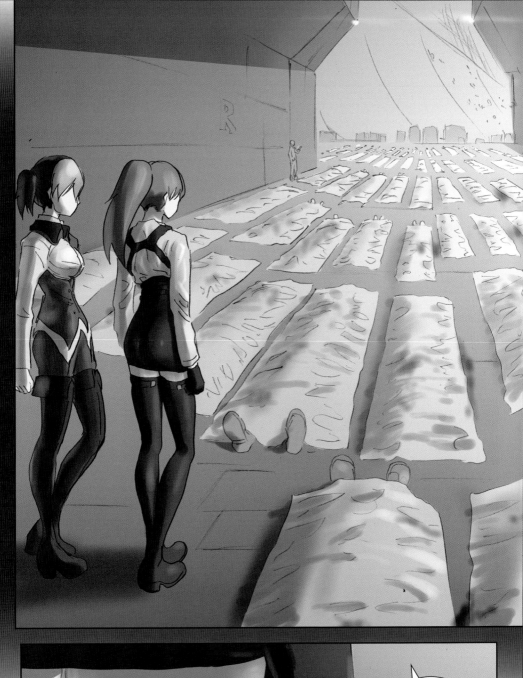

부탁이야.

아프다.

마음 따위… 내게 없었으면 좋았을 텐데.

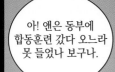

아! 앤은 동부에 합동훈련 갔다 오느라 못 들었나 보구나.

심사도 적응훈련도 안 받고 일주일 만에 교육생으로 들어온 천재 편입생이 있다고?

아 저기 있다!

프레…

헤헤… 그… 나도 와 버렸어.

뭐… 꼭 앤이 보고 싶어서 온 건…

첫
짠돌이.

좀 안아 주면
어디가 덧나나…

프레이
내가
여기 온 건…

부탁이니까…

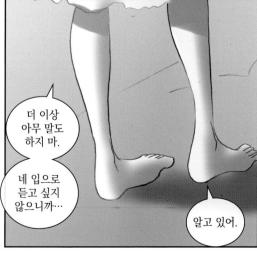

더 이상
아무 말도
하지 마.

네 입으로
듣고 싶지
않으니까…

알고 있어.

날

죽이러
온 거겠지.

...

그래.

아하하…

뭐 앤은
고지식하니까.

그럴 거라고…
하하…

생각…
했으니까…
하…

…처음부터 기사 같은 거
하지 않았더라면…

그냥 그때처럼 영원히…

봐 여기야
여기.

앤과 다이애나가
친구의 맹세를
하는 부분인데…

난 기사 같은 거 하고 싶지 않았다.
단지 앤을 지킬 힘이 필요했을 뿐이다.

하지만 알고 있겠지…

나를 죽인다는 게 어떤 의미인지…

분명 여왕은 전투 유닛도 아니고 나는 여왕 특유의 광역 배리어조차 없어.

육체는 인간의 조성 그대로지.

하지만 난 보호받기만 하는 일반 여왕과는 달라.

오히려 내가 가진 건 인간의 도구와 수련을 통해 얻은 인간의 강함.

머리에 뇌라는 게 있다면 알겠지만…

날 죽인다는 건 날 이길 수 있어야 가능해.

일단
붙어 보자고.

좋지.

춤추자.

망설이지 않는다.

내가 망설이는 몇 초 동안에도
죽어가는 사람이 생긴다는 현실이…

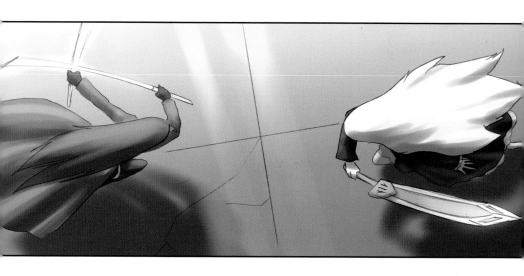

내 감정에 상관없이 날 내몰고 있으니까.

그녀의 죽음을 바란다고
내 자신에게 거짓 결의를 다진다.

part 63

적 함대 병력은
모두 우리가
커버해야 해!!!

우리가 밀리면
꽃에 상륙한
기사님이 돌아올 곳도
사라져 버려!

푸른꽃
고에너지 반응!!!!

적 함대가 푸른꽃
손상을 감수하고
진입하지 못하도록
여기서 막아야…

트리가
진동합니다.

응

회피 기동
실시!!!

키 앙

쿠

3번 함,
4번 함 소멸!!

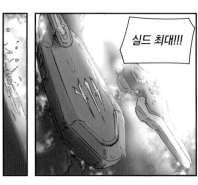

실드 최대!!!

2~4함대가 모두
당했습니다.

아직
완전하지 않은
전력인데도
저 정도라니…

이대론…

함장님…

상위괴수
15형 2기까지
붙었습니다.

약속 하나
지키기
어렵군
앤…

타나토스급
입니다.

푸른꽃에서
멀어질 수 없는데…
하필!!!

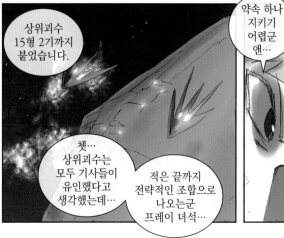

쳇…
상위괴수는
모두 기사들이
유인했다고
생각했는데…

적은 끝까지
전략적인 조합으로
나오는군
프레이 녀석…

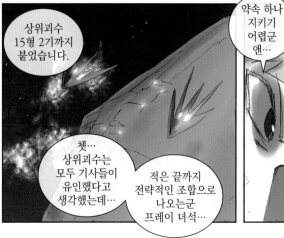

쿡!!!!

차

직

쿡

쿡…

크큭…
강하잖아…
쿨럭

츄

아

?!!!!

투

캉

겨우 노심 2개 박살.

슬슬 피가 모자라는군.

쿨럭… 강하다는 건 인정해 주지.

쿨럭…

거기다 상위괴수도 모두 네임드급.

쿨럭…

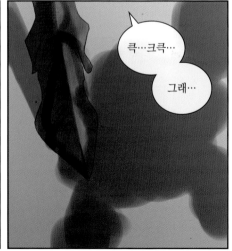

큭…크큭…

그래…

말도 안 돼…

이걸 피한 괴수 따위는 없…

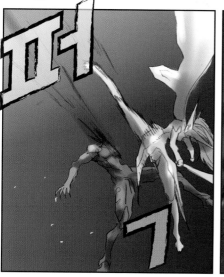

퍼

ㄱ

적 대지 타격 무장
옵션 델타 링크
됐습니다!!

GIGA BREAK

냉동식품
녀석들은
하나같이
괴물들이군.

하지만.

후방 경계엔 왜 이렇게 소홀한 거야?

평생 다시없을 푸른꽃 전투에서 애 보기라니. 그것도 싫은 녀석하고.

나도 마찬가지야.

굉장하군. 하지만 녀석도 인간일 뿐이야.

질량이 너무 커서 실드 안이라도 기사모로는 푸른꽃에 큰 타격을 줄 수 없어.

헤… 너희들… 나 지켜 줬다.

친구. 친구.

움직이자.

아 싫다.

싱글넘버가 예상보다 많아.

이번엔 언덕 전투 보조다.

서부의 냉동마녀가 잘해주고 있지만 체력의 한계야.

마스터나이트에 콜드히어로까지 모였지만 싱글타입에 고전하고 있어.

괴수의 수준과 전술까지 단일 여왕으로부터 나온 것이라고는 믿기지가 않아.

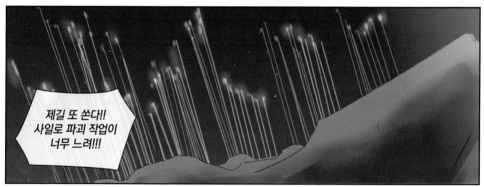

제길 또 쏜다!! 사일로 파괴 작업이 너무 느려!!!

2번 함 중파! 여기서 더 피해를 입으면 화력 지원과 보급은 커녕 귀환조차 불가능해!!

젠장! 적 중추시설이 바로 앞인데… 부대를 뺀다!

선봉 두 명이 싱글넘버 부대에 포위당했다!

우리 얘기인 것 같은데?

…너랑 있으면 되는 일이 없어.

그런가요?

단둘이라면 여자 기사가 좋은데.

고식교회 기사단도 빠진다.

두 사람 움직이지 않는데… 설마 저걸 상대할 생각인가?

이 숫자라면 생산성을 위해 스펙을 낮췄을 텐데도 전술과 기술이 무척 뛰어나.

개미지옥이군… 살아나가긴 글렀어.

드라이 씨가 갇힌 건가. 하지만…

그래. 촌뜨기 기사들은 아무것도 모르지.

그 두 사람은

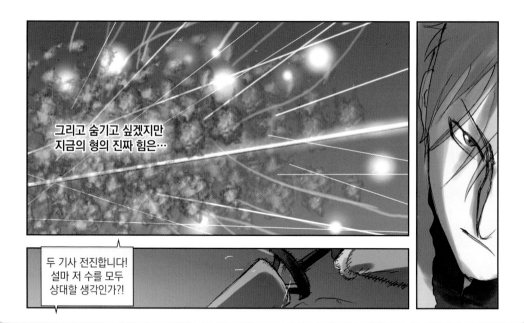

그리고 숨기고 싶겠지만
지금의 형의 진짜 힘은…

두 기사 전진합니다!
설마 저 수를 모두
상대할 생각인가?!

압도적인 숫자에도 비행 간격 대열 모두 홍영을 대비한 진형…

벨치스 때의 어설픈 상위괴수가 아니다.

100번 검.

어나더 사이드 '더 원' 블랙

쓸 수밖에 없지.

만다라
曼茶羅

제 일 단계.

자기개변
自己改變

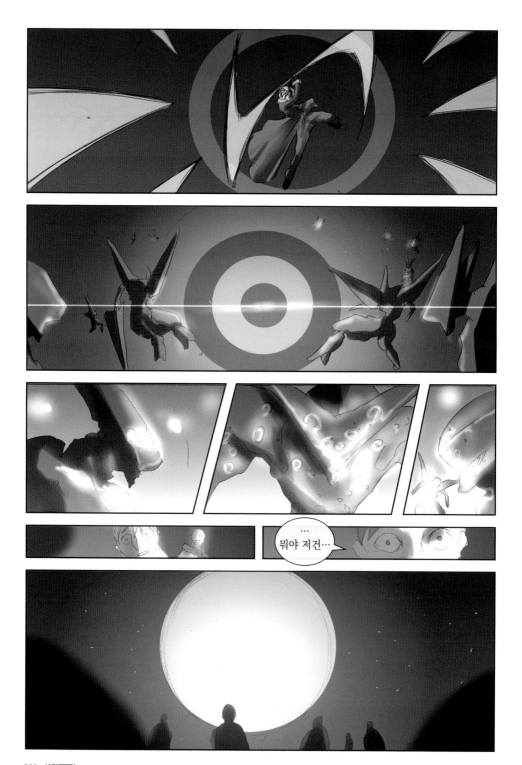

홍영 구식 태양 발현
紅楹 球式 太陽 發現

보여…
프레이.

그때
네가 서 있던
경지가…

이해 구성.

주영기
만다라 3종 프레이식 파동계 입자집속.

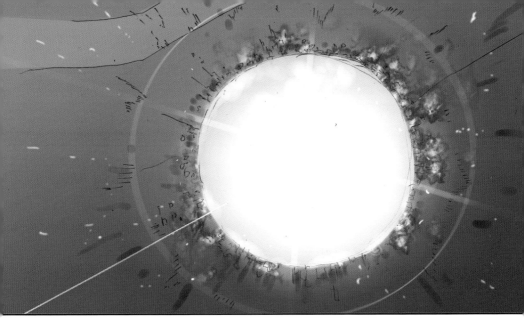

저건…

그때 프레이의 협력으로 만들어진 새로운 레온하르트 검류.

진 홍영
眞 紅楹

만다라의 힘으로 완성했구나.

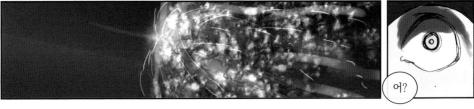

어?

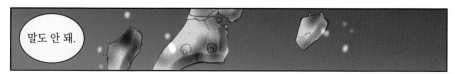

말도 안 돼.

바리사다 Balisarda

바리사다…

어째서 저게
여기에…

역대 최강급
사상병기.

남은 외장 노심 2기.
이제 해볼 만하군…

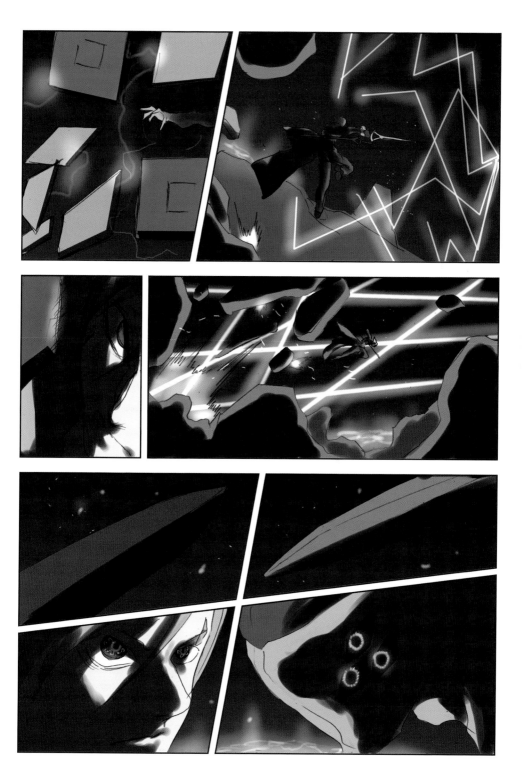

part 63. 바리사다 |끝|

part 64

적 함대 병력은 모두 우리가 커버해야 해!!!

우리가 밀리면 꽃에 상륙한 기사님이 돌아올 곳도 사라져 버려!

푸른꽃 고에너지 반응!!!!

적 함대가 푸른꽃 손상을 감수하고 진입하지 못하도록 여기서 막아야…

트리가 진동합니다.

웅

회피 기동 실시!!!

키 앙

쿠

4번 함, 3번 함 소멸!!

실드 최대!!!

2-4함대가 모두
당했습니다.

아직
완전하지 않은
전력인데도
저 정도라니…

이대론…

함장님…

타나토스급
입니다.

푸른꽃에서
멀어질 수 없는데…
하필!!!

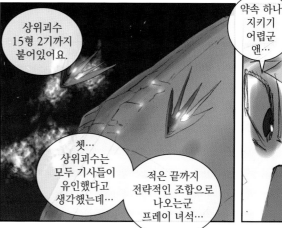

상위괴수
15형 2기까지
붙어있어요.

쳇…
상위괴수는
모두 기사들이
유인했다고
생각했는데…

적은 끝까지
전략적인 조합으로
나오는군
프레이 녀석…

약속 하나
지키기
어렵군
앤…

함대가 밀린 건가?
적이 푸른꽃
외부 장갑에 폭격을
시작했어!

기사들로는
대응할 수 없어.
노심기 수가 적어!!

우주에서
디펜시브 코트 손상은
치명적이야!!

뭐라도 해 봐!!
이러다간 돌아갈 곳이
없어진다고!!!

이쪽은
타나토스급 2기에
마난까지 있어!!!

칙

웅

4번 함 마난의
실드에 밀려
회피 기동 불능!!

빠져나와!!!!

2개 함 전부 격침!!
상위괴수가 호위하는
타나토스급은 도저히…

쿠구

블랙홀
엔진을 버틸
몸체가…

조종술로
이쪽과 적의 포구를
교차시켜 상위괴수의
침입을 막는 것도
이게 한계다.

오로라
시스템을 쓸
출력이…

!!
신형함인
차펠린의
교차부 규격은
PPP 사양…

앤의
연합 AE 규격
통합 계획의
기체라면…

신형함은
이론상으로는
출력 공유가
가능합니다.

차펠린의
추가무장구획에
알키오네가
도킹하는
겁니다.

미친 소리
하지 마
아린의
또라이들아!
차펠린은
동부 사양이라
기본 규격에
차이가 있다고!

이쪽에서
처리할 수 있어.
이대로는
침몰한다고.

함장님?

할 수 없지.
네놈 믿는 건
싫은데…

일단 지휘권은
나한테 있다.

까라면 까
인마.

주포 회피!!!!!

전투 회피와 도킹을 동시에 할 수밖에 없어.

칫 이런 미친 짓…

교차부 개방.

2차 온다!

회피에 집중하세요. 도킹은 제가 합니다.

알키오네 전각 전개.

이런 극한상황을 극복하는 게…

바로 진짜 묘기지!!

오로라 시스템 전개
Aurora System Deployment

오로라 관성 패널에 의한 SCR에 버금가는 초가속과 급격한 방향전환…

착

머릴 잡았다. 찍어 누른다.

이카로스 윙 전개.

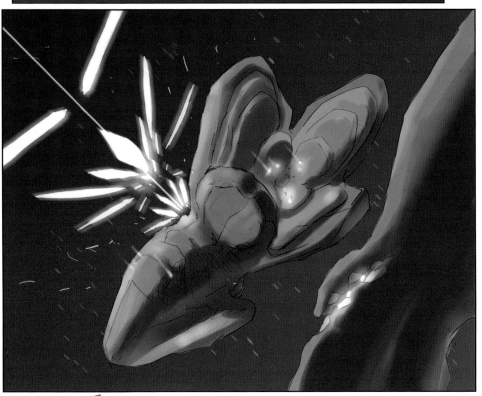

축퇴로
최대 전개!!!!
패널 연속 작용!!

쿠

연결 한계
앞으로 10초.

적의
식별 코드를
이용한다.

이대로
관성을 이용해
푸른꽃의 트리에
피해를 준다.

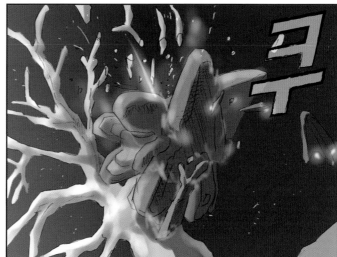

쿠

저건?!!

시스템
한계···

분리!!

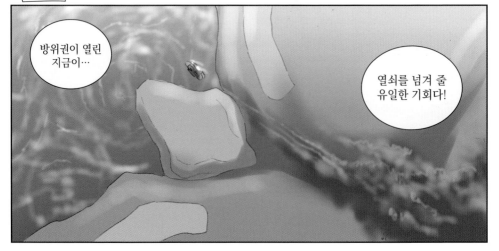

방위권이 열린
지금이···

열쇠를 넘겨 줄
유일한 기회다!

승차감 최악이군.

사출 후 가용 시간은 고작 몇 시간··· 인형의 센서에 연결해 놨으니 대충 알아서 가겠지.

궤도는?

가드유닛!! 어쩌죠?

굴 까라 그래.

나 블랙홀 엔진 보트 탔다고.

꿰뚫어 버린다!!! 가속 최대치!!!

웅

이건 본체가 아닌 열쇠에 불과하지만 안티배리어 효과는 일반 AB소드 따위와 비교도 안 돼.

우주 최고가, 최강의 탄환이다!!

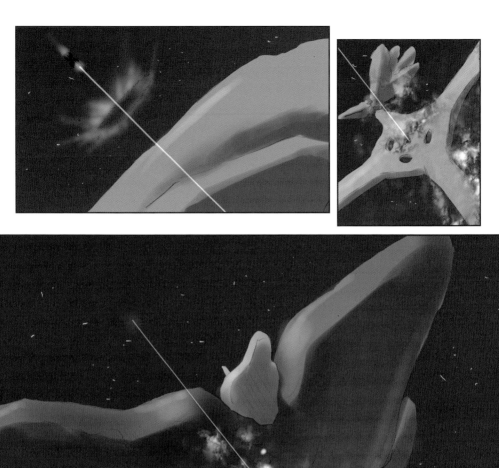

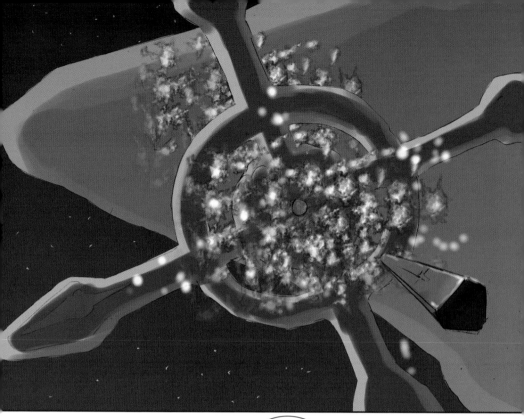

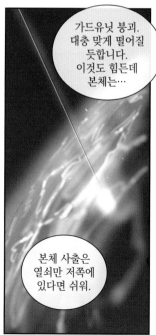

가드유닛 붕괴.
대충 맞게 떨어질
듯합니다.
이것도 힘든데
본체는…

본체 사출은
열쇠만 저쪽에
있다면 쉬워.

근데
이렇게 대충
던져도 될까요?
회수에
실패하면…

뭐…
괜찮아…

어차피
지금은 운에
맡길 수밖에.

방금 전까지도
이걸 쏠 수 있을 거라
누가 생각이나
했겠나?

가끔은
우연이 필연처럼
겹치며…

재밌는 일이
벌어진다고.

SYSTEM :
신체 기능 16%
전투 회피 권고.

거부.

실드 붕괴.

?!

크리스마스잖아.

착한 아이는 선물이라도 받는 게 당연한 세상의 이치 아니겠어?

…

????????
????????
????????

속담 검색.
마른 하늘에 날벼락.

아니…

마른 하늘에 열쇠검.

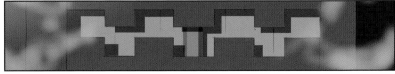

part 64. 크리스마스 선물 |끝|

7권에 계속